A·NEW·DAY
UN·NUEVO·DÍA

The Timeless Story of the Nativity

El cuento clásico de la Natividad

Story and Pictures by
Relato y dibujos de
Don Bolognese

Translated by / Traducido por Alicia L. Navar
Ysleta Independent School District
El Paso, Texas

HORSE
DRAWN
BOOKS
VERMONT

For all their support, both spiritual and practical, I wish to thank:

Rob and Annie Aft, Leon Bolognese, Jeanne Greco and Sam Clayton, Bernette Ford, George Nicholson, Amanda Navar and Alicia L. Navar, Tony and Lee Pirrotti, Edie Weinberg, Penny Furgerson and the Gateway Dance Theatre, and last but most important, my wife and life-long collaborator, Elaine Raphael.

Editor for this edition: Bernette Ford, Color-Bridge Books, LLC
Editor for the original edition: George Nicholson
Cover design: Jeanne Greco

Originally published in 1970 by Delacorte Press, Dell Publishing Company Inc.
Library of Congress Catalog Card Number: 78-122773

This English/Spanish paperback edition published in 2004
by Horse Drawn Books.

ISBN: 0-9762237-0-8

For information regarding permission, write to:

Don Bolognese, Horse Drawn Books, 27 Uphill Road, Landgrove, VT 05148
www.horsedrawnbooks.com

Manufactured in the USA by Color House Graphics, Grand Rapids, MI

5 4 3 2 1   04 05 06 07 08

**To all children, our hope, and to those
who would keep that hope.**

A todos los niños, nuestra esperanza, y a todos aquellos
que conserven esa esperanza.

—DB

Jose and Maria worked on farms.
They went from place to place looking for work.

José y María trabajaban en granjas.
Iban de un lugar a otro buscando trabajo.

When the harvest was over in the North,
Jose said, "We must move south."
It was a bad time to travel.
Their car was very old,
and Maria was going to have a baby.

Cuando la cosecha se terminó en el norte,
José dijo: "Debemos irnos al sur".
No era un buen momento para viajar.
Su auto era muy viejo,
y María iba a tener un bebé.

They drove south.
The trip was very long.

Se dirigieron al sur.
El viaje fue muy largo.

Maria was sure the baby
would be born soon.
They had to find a place to stay.

María estaba segura que el bebé
iba a nacer muy pronto.
Tenían que encontrar un lugar para alojarse.

Maria was tired and
Jose tried to find a room for them.
But everywhere he was told the same thing.
"There is no room."

María estaba cansada y
José trató de encontrar un cuarto.
Pero en todas partes le decían lo mismo.
"No tenemos sitio".

At last, at a gas station,
an attendant made room for them.
"You can stay here," he said.

Por fin, un empleado les dio un cuarto
en una gasolinera.
"Se pueden quedar aquí", les dijo.

José made María comfortable in the garage.
Some traveling musicians helped them.

José instaló a María en el taller.
Unos músicos ambulantes los ayudaron.

As the sun was rising, the baby was born.
The musicians sang and played
in joyous celebration.

Al amanecer, nació el bebé.
Los músicos cantaron y tocaron para celebrar
el acontecimiento.

Some cowboys heard the music coming
over the lonely land and joined
the little family and their friends.

Unos vaqueros oyeron la música que sonaba
en la solitaria región y se unieron
a la pequeña familia y a sus amigos.

The news spread.
People came with gifts of food.
They sang and danced.

La noticia se propagó.
La gente vino a regalarles comida.
Todos cantaron y bailaron.

Even travelers stopping for gas joined the party.
And when they told others of the new baby
in the garage, more people came.
Many wondered that the birth of one baby
should bring such joy.

Hasta los viajeros que venían a poner
gasolina se quedaban en la fiesta.
Y cuando les contaron a otros que había nacido
un bebé en el taller, vino más gente.
Muchos se preguntaban por qué el nacimiento
de un niño traía tanta alegría.

The crowds began to worry the local police chief,
who didn't understand.
He ordered the arrest of Jose and Maria
for disturbing the peace.
But one of his deputies warned Jose.
Jose thanked him and prepared to leave before sunrise.

La muchedumbre empezó a preocupar al jefe de policía,
que no entendía lo que pasaba.
Mandó arrestar a José y María por causar disturbios.
Pero uno de sus oficiales le avisó a José.
José se lo agradeció y se preparó para partir
antes del amanecer.

Their car could go no farther.
A truck driver offered
to drive them across the border.
When they were ready to leave,
the musicians asked Jose:
"When will we see you again?"
"Will you ever come back?"
"Yes," said Jose.
"When this trouble has passed,
we will come back among our friends."

Su auto no pudo seguir adelante.
Un camionero se ofreció a llevarlos
al otro lado de la frontera.
Cuando estaban listos para salir,
los músicos le preguntaron a José:
"¿Cuándo nos volveremos a ver?"
"¿Regresarán algún día?"
"Sí —dijo José—. Cuando se
acaben estas dificultades,
regresaremos para estar con nuestros amigos".

As the new day dawned,
Jose and Maria and the child rode away.
Their new friends waved and shouted good-bye.
But they knew they would all meet again.

Al amanecer del nuevo día,
José, María y el niño partieron.
Sus nuevos amigos los despidieron, agitando
las manos y gritando "adiós".
Pero ellos sabían que algún día
se volverían a encontrar.

Don Bolognese has long wanted to revive the centuries-old tradition among artists to portray biblical themes in contemporary settings. In *A NEW DAY* he has begun to fulfill this wish, bringing the Christmas legend to children of today through scenes familiar to them. Mr. Bolognese lives in New York and Vermont with his wife and collaborator, Elaine Raphael. Together they have written and illustrated many children's books on art and history. Mr. Bolognese's latest work is *The Warhorse*, an adventure story set in the time of DaVinci.

Hace mucho tiempo que Don Bolognese quiere restablecer la centenaria tradición de los artistas, de representar temas bíblicos en ambientes contemporáneos. En *UN NUEVO DÍA*, ha comenzado a realizar su deseo, trayendo la leyenda navideña a los niños de hoy a través de situaciones que ellos conocen. El Sr. Bolognese vive en Nueva York y en Vermont con su esposa y colaboradora, Elaine Raphael. Juntos han escrito e ilustrado muchos libros infantiles sobre arte e historia. La obra más reciente del Sr. Bolognese es *The Warhorse*, una novela de aventuras ambientada en la época de DaVinci.